Savais-tu?

Les Termites

Savais-tu?

Les Termites

Alain M. Bergeron
Michel Quintin
Sampar

Illustrations de Sampar

ÉDITIONS
MICHEL
QUINTIN

Catalogage avant publication de Bibliothèque et Archives nationales du Québec et Bibliothèque et Archives Canada

Bergeron, Alain M., 1957-

Les termites

(Savais-tu? ; 12)
Pour enfants de 7 ans et plus.

ISBN 978-2-89435-215-1

1. Termites - Ouvrages pour la jeunesse.   2. Termites - Ouvrages illustrés. I. Quintin, Michel . II. Sampar. III. Titre. IV. Collection : Bergeron, Alain M., 1957-   . Savais-tu? ; 12.

QL529.B47 2003   j595.7'36   C2003-940436-6

Révision linguistique : Maurice Poirier

 Le Conseil des Arts du Canada
The Canada Council for the Arts Patrimoine canadien   Canadian Heritage

La publication de cet ouvrage a été réalisée grâce au soutien financier du Conseil des Arts du Canada et de la SODEC. De plus, les Éditions Michel Quintin bénéficient de l'aide financière du gouvernement du Canada par l'entremise du Programme d'aide au développement de l'industrie de l'édition (PADIÉ) pour leurs activités d'édition.

Gouvernement du Québec – Programme de crédit d'impôt pour l'édition de livres – Gestion SODEC

ISBN 978-2-89435-215-1
Dépôt légal - Bibliothèque et Archives nationales du Québec, 2003
Dépôt légal - Bibliothèque et Archives Canada, 2003

Éditions Michel Quintin
C.P. 340, Waterloo (Québec)
Canada J0E 2N0
Tél.:   450 539-3774
Téléc.: 450 539-4905
www.editionsmichelquintin.ca

0 7 - M L - 2

Imprimé au Canada

À
VENDRE

Savais-tu que la plupart des 2 000 espèces de termites vivent dans les régions tropicales? On en retrouve toutefois quelques espèces dans les régions tempérées.

Savais-tu que la termitière classique est souterraine?
Par contre, il arrive que les termites fixent leur nid

aux branches d'un arbre. Ces insectes logent aussi dans les troncs d'arbres et les habitations.

Savais-tu que, très sociables, les termites vivent en
société? Chaque colonie est bien organisée et peut
contenir plusieurs millions d'individus.

Savais-tu que chaque termitière abrite une colonie
constituée de groupes bien différents? On appelle
ces groupes des «castes». Chaque caste regroupe

des individus qui ont une morphologie et un comportement semblables spécialement adaptés pour accomplir des tâches bien précises.

Savais-tu que la caste des ouvriers est responsable, entre autres, de construire, réparer et entretenir la termitière?

C'est d'ailleurs elle qui compte le plus grand nombre d'individus.

Savais-tu que pour construire leur forteresse, les ouvriers utilisent de la terre qu'ils mélangent à leur salive ou à

leurs excréments? Les termitières ainsi formées sont aussi dures que du béton.

Savais-tu que, de tous les insectes, ce sont les termites qui construisent les habitations les plus grandes et les plus élaborées? Selon les espèces, certaines termitières

ont la forme de champignons, d'autres de clochers, d'autres encore ressemblent à d'énormes tas de boue.

Savais-tu que les termites d'une espèce africaine construisent d'énormes monticules atteignant 12 mètres

de haut? L'intérieur d'une seule de ces termitières contient des centaines de kilomètres de galeries.

Savais-tu que chaque termitière compte un seul couple royal, composé d'un roi minuscule et d'une reine énorme?

Enfermé dans la cellule royale, ce couple uni pour la vie se consacrera à la reproduction jusqu'à sa mort.

Savais-tu que la reine est jusqu'à 30 fois plus grosse que ses sujets? Distendu par les œufs en formation, son

abdomen peut atteindre jusqu'à 12 centimètres de long.
Elle est presque incapable de bouger.

Savais-tu qu'une reine peut pondre environ 40 000 œufs par jour?

Savais-tu que ce sont les ouvriers qui prennent soin des œufs? À mesure que la reine pond, ceux-ci recueillent les

œufs et les emportent dans des chambres avoisinantes où ils se transformeront bientôt en larves.

Savais-tu que de ces larves naîtront des soldats,
des ouvriers et des termites ailés?

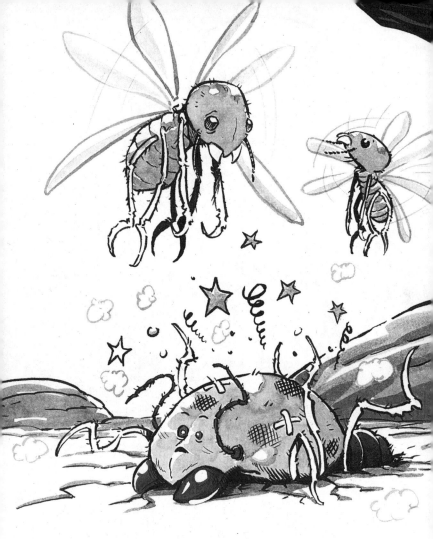

Savais-tu que, mis à part le couple royal, les termites ailés sont les seuls à avoir un sexe? Ils sont donc les

seuls à pouvoir s'envoler pour aller fonder une nouvelle colonie.

Savais-tu que chaque termitière garde des individus en réserve pour remplacer au besoin les souverains morts?

Savais-tu que, dès que la ponte de la reine n'est plus
satisfaisante, on cesse de la nourrir? Celle-ci mourra

de faim et sera dévorée par ses sujets avant d'être remplacée par une autre reine.

Savais-tu qu'une reine vit de 15 à 20 ans? Les ouvriers, pour leur part, ne vivent que quelques mois.

Savais-tu que l'odorat joue un rôle essentiel dans la vie des termites? C'est grâce à cela qu'ils se reconnaissent et s'identifient.

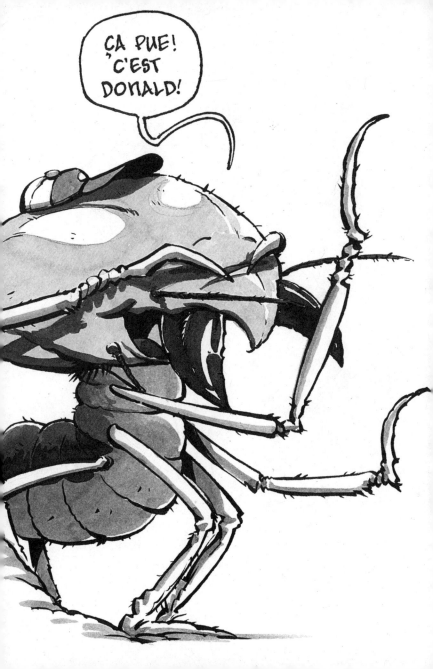

Savais-tu que les termites se nourrissent de bois ou de toute autre matière végétale? Certaines espèces

consomment des champignons qu'elles cultivent dans leur termitière.

Savais-tu que les ouvriers sont responsables de nourrir les autres castes? Pour cela, ils transforment le bois en

sucre qu'ils régurgiteront par la suite sous forme de salive.

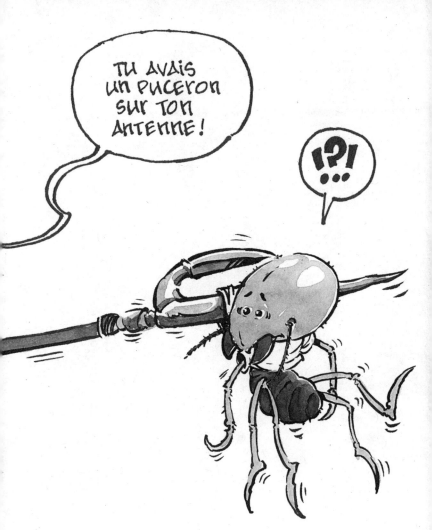

Savais-tu que pour qu'on le nourrisse, un termite caresse les antennes d'un ouvrier? Celui-ci lui régurgite aussitôt une salive nutritive.

Savais-tu que c'est la caste des soldats qui doit protéger et défendre la colonie qui, en échange, les nourrit?

Savais-tu que chez certaines espèces, les ouvriers doivent sortir de la termitière pour se procurer de la nourriture?

Cela se fait généralement la nuit et les ouvriers sont encadrés par les soldats qui les protègent.

Savais-tu que les soldats possèdent différents moyens de défense selon leur espèce? Certains ont une grosse tête en forme de bouclier très solide, d'autres possèdent

des mâchoires puissantes qu'ils utilisent pour écraser
les intrus.

Savais-tu que les soldats ont aussi des armes chimiques?
Ils attaquent en projetant le liquide contenu dans leurs

glandes frontales. Ainsi, selon l'espèce, ils empoisonnent, irritent ou engluent l'ennemi.

Savais-tu que les fourmis comptent parmi leurs plus
redoutables ennemis? Certaines peuvent d'ailleurs

s'infiltrer dans la termitière en sécrétant des odeurs identiques à celles des termites.

Savais-tu qu'ils ont aussi pour ennemis de nombreux mammifères dont les tamanoirs, pangolins, tatous et chimpanzés? Et l'homme qui, dans certaines contrées, en est friand.

Savais-tu que les termites peuvent être cannibales?
Ainsi, un termite blessé est immédiatement dévoré

par les autres termites de la colonie. Il en est de même pour les termites en surnombre.

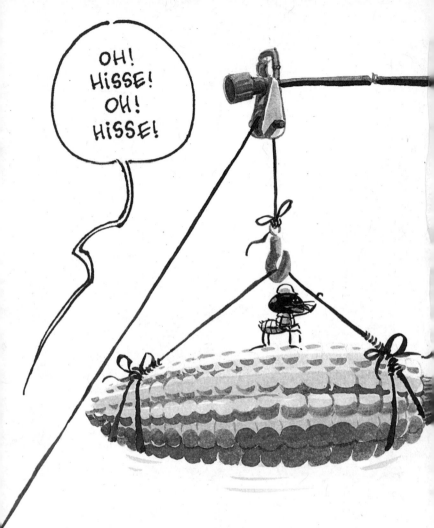

Savais-tu qu'on considère les termites, pourtant très utiles, comme un véritable fléau? C'est en partie parce qu'ils causent des dégâts aux édifices et aux cultures

PLUS VITE! J'AI FAIM!

qu'ils ont cette réputation. En fait, dans la nature, ils aèrent le sol, décomposent le bois mort et servent, entre autres, de nourriture aux animaux insectivores.

100%